QUICHES & TARTELETTES

LAROUSSE

21 RUE DU MONTPARNASSE 75283 PARIS CEDEX 06

SOMMAIRE

Si vous n'avez pas de basilic frais, remplacez-le par du basilic surgelé.

Mini-tatins de tomates cerises

POUR 12 TARTELETTES

PRÉPARATION : 25 MIN

CUISSON : 20 MIN

> 4 cuill. à soupe de sucre en poudre
> 3 cuill. à café de vinaigre balsamique
> 400 g de tomates cerises
> 150 g de mozzarella
> 2 pâtes feuilletées prêtes à étaler
> 5 brins de basilic

1. Préchauffez le four à 200 °C (therm. 6-7). Beurrez le fond de 12 moules à tartelettes, puis saupoudrez de la moitié du sucre et arrosez de vinaigre balsamique. Disposez dessus les tomates cerises bien alignées les unes contre les autres, saupoudrez du reste de sucre, puis enfournez pour 5 minutes. Sortez les moules du four, éliminez l'eau rendue par les tomates et réservez.

2. Coupez la mozzarella en lamelles et répartissez celles-ci sur les tomates. Déroulez les pâtes feuilletées, découpez des disques de 10 cm de diamètre à l'aide d'un emporte-pièce, puis déposez-les sur les tomates. Enfournez pour 15 minutes.

3. Laissez les tartelettes tiédir avant de les démouler. Parsemez de feuilles de basilic frais et servez.

Pour un apéritif improvisé, ces tartelettes se réalisent en un tour de main !

Pizzettas à l'aubergine et aux herbes de Provence

POUR 12 MINI-PIZZAS

PRÉPARATION : 15 MIN

ÉGOUTTAGE : 30 MIN

CUISSON : 15 MIN

> 1 aubergine
> 1 poignée de gros sel
> 10 cl d'huile d'olive
> 1 pâte à pizza prête à étaler
> 1 cuill. à soupe d'herbes de Provence séchées
> 20 g de parmesan râpé
> poivre du moulin

1. Préchauffez le gril du four. Coupez l'aubergine en fines rondelles, puis saupoudrez celles-ci de gros sel et laissez-les dégorger pendant 30 minutes.

2. Rincez les rondelles d'aubergine à l'eau froide, puis essuyez-les avec du papier absorbant. Badigeonnez-les d'huile d'olive à l'aide d'un pinceau, puis passez-les sous le gril du four pendant 5 minutes.

3. Baissez la température du four à 180 °C (therm. 6). Déroulez la pâte à pizza, applatissez-la au rouleau à pâtisserie et découpez des carrés de 5 cm de côté. Déposez 2 rondelles d'aubergine sur chacun, parsemez d'herbes de Provence, de poivre et de parmesan, puis enfournez pour 10 minutes. Servez chaud ou froid.

Tartelettes au poivron jaune et à la tomate

POUR 12 TARTELETTES

PRÉPARATION : 35 MIN

CUISSON : 40 MIN

> 2 poivrons jaunes
> 2 pâtes feuilletées prêtes à étaler
> 250 g de tomates pelées en conserve
> 2 cuill. à soupe d'huile d'olive
> 1 bâton de cannelle
> 3 cuill. à soupe de miel de fleur d'oranger
> 1/2 cuill. à café de cannelle en poudre

1. Préchauffez le gril du four. Coupez les poivrons en quatre, épépinez-les et faites-les griller, peau en dessus, jusqu'à ce que celle-ci gonfle et noircisse. Laissez refroidir les morceaux de poivron dans un sac en plastique, puis pelez-les et coupez-les en fines lamelles.

2. Abaissez la température du four à 180 °C (therm. 6). Beurrez 12 moules à tartelettes. Étalez les pâtes feuilletées, découpez des disques de 8 cm de diamètre à l'aide d'un emporte-pièce et déposez les fonds de tarte dans les moules. Piquez les fonds à l'aide d'une fourchette, garnissez-les de papier sulfurisé et répartissez des haricots secs. Enfournez pour 10 minutes, puis retirez les haricots et poursuivez la cuisson 5 minutes.

3. Dans une casserole à fond épais, versez les tomates pelées et faites-les cuire à feu moyen. Ajoutez l'huile d'olive et le bâton de cannelle, puis laissez réduire en remuant régulièrement. Incorporez le miel et prolongez la cuisson à feu doux pendant 10 minutes, puis saupoudrez de cannelle en poudre. Garnissez les fonds de tarte de la préparation, recouvrez des lamelles de poivrons et servez.

Petites briks aux oignons confits et aux noix de pécan

POUR 12 TARTELETTES

PRÉPARATION : 20 MIN

CUISSON : 30 MIN

> 12 oignons grelots
> 1 cuill. à soupe de sucre en poudre
> 25 cl de crème d'avoine (dans les épiceries diététiques)
> 25 cl de lait d'avoine (dans les épiceries diététiques)
> 3 œufs
> 25 g de noix de pécan
> 3 feuilles de brik
> sel et poivre du moulin

1. Préchauffez le four à 160 °C (therm. 5-6). Ôtez la première couche des oignons. Beurrez le fond d'une casserole, saupoudrez-le de sucre, puis déposez les oignons en une seule couche. Versez un peu d'eau et couvrez, puis faites cuire à feu doux jusqu'à ce que les oignons soient moelleux et confits. Laissez refroidir.

2. Dans un saladier, réunissez la crème et le lait d'avoine, les œufs, salez, poivrez, puis mélangez bien le tout.

3. À l'aide d'un gros couteau concassez les noix de pécan. Déroulez les feuilles de brik, découpez des carrés de 10 cm de côté et déposez-les dans des moules à tartelette. Garnissez-les de la préparation aux œufs et d'oignons confits, parsemez de noix de pécan, puis enfournez pour 10 minutes. Servez tiède.

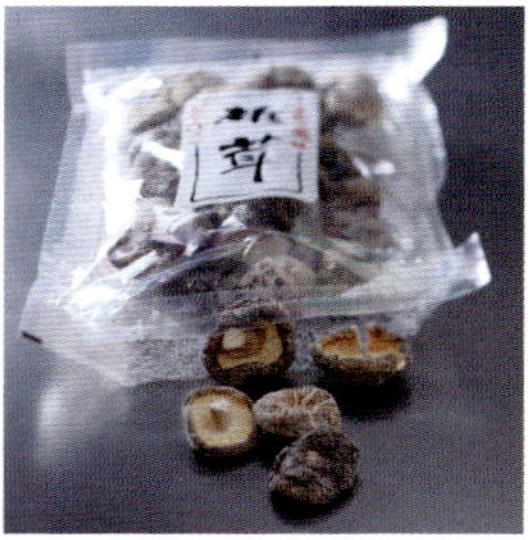

Mini-quiches aux champignons shiitakés

POUR 12 MINI-QUICHES

PRÉPARATION : 30 MIN

CUISSON : 40 MIN

> 2 pâtes brisées prêtes à étaler
> 12 champignons shiitakés frais (dans les rayons frais exotiques ou dans les épiceries asiatiques)
> 10 g de beurre
> 1 cuill. à soupe d'huile d'olive
> les feuilles de 1/2 bouquet de coriandre
> 100 g de parmesan
> 3 œufs
> 30 cl de crème fraîche
> sel et poivre du moulin

1. Préchauffez le four à 180 °C (therm. 6). Beurrez 12 moules à tartelette. Étalez les pâtes brisées et découpez des disques de 6 cm de diamètre à l'aide d'un emporte-pièce. Déposez-les dans les moules et piquez les fonds à l'aide d'une fourchette.

2. Nettoyez les champignons et coupez-les en lamelles. Dans une poêle, faites chauffer le beurre et l'huile d'olive et mettez les champignons à revenir. Salez, poivrez, puis laissez-les rendre leur eau à feu vif. Baissez le feu, ajoutez la coriandre et poursuivez la cuisson en remuant régulièrement, jusqu'à ce qu'il n'y ait plus d'eau, puis laissez refroidir.

3. Râpez le parmesan. Battez les œufs, ajoutez le parmesan et la crème fraîche, salez, poivrez, puis mélangez délicatement. Garnissez les fonds de tarte de champignons, puis recouvrez de la préparation aux œufs et enfournez pour 25 minutes. Servez chaud.

Ajoutez un peu de jus d'orange dans la préparation pour obtenir une note acidulée.

Mini-quiches aux carottes et au cumin

POUR 12 MINI-QUICHES

PRÉPARATION : 30 MIN

CUISSON : 40 MIN

- > 2 pâtes brisées prêtes à étaler
- > 300 g de carottes
- > 4 œufs
- > 3 cuill. à soupe de lait
- > 150 g de lait de coco
- > 1 cuill. à café de cumin en poudre
- > 3 cuillerées à soupe de graines de pavot
- > sel et poivre du moulin

1. Préchauffez le four à 180 °C (therm. 6). Beurrez 12 moules à tartelettes. Déroulez les pâtes brisées, découpez 12 disques de 8 cm de diamètre à l'aide d'un emporte-pièce, puis déposez les fonds de tarte dans les moules. Piquez les fonds à l'aide d'une fourchette et réservez.

2. Pelez les carottes et râpez-les grossièrement. Dans un saladier, fouettez les œufs avec le lait, ajoutez le lait de coco, puis saupoudrez de cumin. Salez et poivrez, mélangez bien le tout, puis incorporez les carottes. Garnissez les fonds de tarte de cette préparation et enfournez pour 40 minutes. Parsemez les mini-quiches de graines de pavot, puis servez tiède.

Variez les plaisirs au gré de vos envies en adaptant cette mousseline avec des panais, des courgettes ou des betteraves agrémentées d'épices et d'aromates de votre choix.

Chips de pommes de terre à la mousseline de carotte

POUR 12 PERSONNES
PRÉPARATION : 30 MIN
CUISSON : 30 MIN

> 3 grosses pommes de terre
> huile pour la friture

Pour la mousseline de carotte

> 4 oranges
> 2 carottes
> 1 cuill. à café de graines de cardamome
> 1 cuill. à café de sel
> 50 g de miel
> 1 branche de thym

1. Pelez les pommes de terre, rincez-les à l'eau froide, puis coupez-les en très fines rondelles à l'aide d'une mandoline. Dans une friteuse ou une casserole, faites chauffer l'huile, puis plongez les pétales de pommes de terre. Égouttez-les sur du papier absorbant.

2. Préparez la mousseline de carotte. Pressez les oranges et filtrez le jus dans une casserole. Pelez les carottes et coupez-les en rondelles, puis mettez-les dans le jus d'orange. Ajoutez les graines de cardamome, le sel, le miel et le thym, puis faites cuire pendant 20 minutes.

3. Égouttez les carottes et mixez-les à l'aide d'un robot. Disposez 1 cuillerée à café de mousseline de carotte sur les chips de pommes de terre et servez.

Tartelettes à la tapenade et aux tomates cerises

POUR 12 TARTELETTES
PRÉPARATION : 30 MIN
CUISSON : 20 MIN

> 25 g de beurre
> 2 feuilles de brik
> 36 tomates cerises
> 3 cuill. à soupe d'huile d'olive
> 200 g de tapenade noire
> poivre du moulin

1. Préchauffez le four à 200 °C (therm. 6-7). Dans une casserole, faites fondre le beurre à feu doux. Dans les feuilles de brik, découpez des disques de 10 cm de diamètre à l'aide d'un emporte-pièce, puis badigeonnez les deux faces de beurre fondu à l'aide d'un pinceau. Empilez les cercles trois par trois, puis déposez-les dans 12 moules à tartelettes et enfournez pour 5 minutes, jusqu'à ce que les fonds de tartes soient bien dorés. Laissez-les refroidir.

2. Dans un plat allant au four, étalez les tomates cerises et arrosez-les d'huile d'olive, puis enfournez pour 15 minutes, jusqu'à ce que leur peau commence à craqueler. Garnissez les fonds de tarte de la tapenade, puis déposez les tomates cerises et assaisonnez d'un tour de moulin à poivre.

3. Réchauffez-les au four quelques minutes et servez chaud ou froid.

Mini-quiches au potiron et aux herbes du jardin

POUR 12 MINI-QUICHES
PRÉPARATION : 30 MIN
CUISSON : 55 MIN

> 2 pâtes feuilletées prêtes à étaler
> 200 g de potiron
> 1 oignon
> 1 petit bouquet de persil
> 1 petit bouquet de ciboulette
> 1 petit bouquet de romarin
> 1 petit bouquet de sauge
> 1 petit bouquet de cerfeuil
> 50 g d'épinards
> 40 g de beurre
> 1 gousse d'ail
> 25 cl de crème fraîche liquide
> 25 cl de lait
> 3 œufs
> 70 g d'emmenthal râpé
> sel et poivre du moulin

1. Préchauffez le four à 180 °C (therm. 6). Déroulez les pâtes feuilletées et découpez des disques de 10 cm de diamètre à l'aide d'un emporte-pièce.

2. Pelez le potiron et coupez-le en dés de 2 cm de côté. Hachez l'oignon et ciselez les herbes. Lavez les épinards, puis égouttez-les. Dans une poêle faites chauffer la moitié du beurre, puis faites revenir les épinards avec la gousse d'ail. Salez, poivrez, puis laissez cuire 10 minutes. Égouttez les épinards et hachez-les grossièrement au couteau.

3. Dans une autre poêle, faites chauffer le beurre restant, puis faites dorer l'oignon pendant 5 minutes. Ajoutez les dés de potiron et prolongez la cuisson de 10 minutes. Incorporez les herbes ciselées, salez, poivrez, puis laissez mijoter encore 5 minutes.

4. Dans un saladier, réunissez la crème liquide, le lait et les œufs, puis mélangez bien le tout. Garnissez les fonds de tarte des épinards et du potiron, puis recouvrez de la préparation aux œufs. Parsemez d'emmenthal et enfournez pour 15 minutes. Servez tiède.

Douce, sucrée et caramélisée, voici une version salée et automnale de la traditionnelle tarte Tatin aux pommes.

Mini-tatins d'échalote

POUR 12 TARTELETTES
PRÉPARATION : 25 MIN
CUISSON : 1 H

> 1 kg de petites échalotes
> 1 l de lait
> 80 g de beurre
> 6 cuill. à soupe de cassonade
> 2 pâtes feuilletées prêtes à étaler

1. Préchauffez le four à 240 °C (therm. 8). Épluchez les échalotes. Dans une casserole, faites chauffer le lait à feu doux. Plongez-y les échalotes pendant 10 minutes, puis égouttez-les.

2. Dans une sauteuse, faites fondre le beurre avec la cassonade, puis ajoutez les échalotes et laissez-les confire pendant 30 minutes.

3. Déroulez les pâtes feuilletées et découpez 12 disques de 8 cm de diamètre à l'aide d'un emporte-pièce. Déposez les échalotes sur les fonds de tarte et recouvrez des disques de pâte, en ajustant bien les bords, puis enfournez pour 15 minutes. Laissez reposer 5 minutes avant de démouler. Servez froid.

Tartelettes aux poires et à l'oignon

POUR 12 TARTELETTES
PRÉPARATION : 30 MIN
CUISSON : 20 MIN

> 20 raisins secs blonds
> 40 g de beurre
> 9 feuilles de pâte filo
> 2 poires
> 1 oignon doux
> 1 cuill. à café de thym finement haché
> 1 cuill. à soupe de sucre roux
> 20 pignons
> 3 brins de thym frais

1. Préchauffez le four à 180 °C (therm. 6). Réhydratez les raisins secs dans un bol d'eau tiède. Dans une poêle, faites fondre la moitié du beurre à feu doux. Superposez les feuilles de pâte filo trois par trois en les badigeonnant de beurre fondu, sauf la dernière. Découpez 12 disques de pâte de 8 cm de diamètre à l'aide d'un emporte-pièce, puis déposez les fonds de tarte dans des moules à tartelettes. Répartissez quelques haricots secs, puis enfournez pour 5 minutes. Laissez refroidir, puis démoulez.

2. Épluchez les poires et coupez-les en lamelles. Émincez l'oignon. Égouttez les raisins blonds. Dans une autre poêle, faites fondre le reste de beurre, puis faites revenir l'oignon. Ajoutez les lamelles de poires, les raisins secs et le thym haché, saupoudrez de sucre, puis mélangez délicatement le tout et laissez dorer de 5 à 10 minutes.

3. Dans une poêle antiadhésive, faites griller les pignons à feu vif. Garnissez les fonds de tarte de la préparation, parsemez de pignons et de thym frais, puis servez.

Pour la réalisation de ces quiches, si vous ne trouvez pas de mini-asperges, prenez des asperges normales que vous découperez en petits tronçons.

Mini-quiches aux deux asperges

POUR 12 MINI-QUICHES
PRÉPARATION : 35 MIN
CUISSON : 20 MIN

- > 2 pâtes feuilletées prêtes à étaler
- > 80 g de mini-asperges vertes
- > 80 g de mini-asperges blanches
- > 3 œufs
- > 120 g de crème fraîche
- > sel et poivre du moulin

1. Préchauffez le four à 200 °C (therm. 6-7). Beurrez et farinez 12 moules à tartelettes. Déroulez les pâtes feuilletées, découpez des disques de 8 cm de diamètre à l'aide d'un emporte-pièce, puis déposez les fonds de tarte dans les moules.

2. Pelez les asperges et coupez-les en petits tronçons. Dans une casserole, portez de l'eau à ébullition et faites blanchir les asperges 3 minutes. Plongez-les dans de l'eau glacée, puis égouttez-les et réservez.

3. Dans un saladier, battez les œufs avec la crème fraîche, salez, poivrez, puis incorporez délicatement les asperges. Garnissez les fonds de tarte de la préparation et enfournez pour 20 minutes. Servez tiède.

Pizzettas au chèvre

POUR 12 MINI-PIZZAS
PRÉPARATION : 45 MIN
REPOS : 1 H 15
CUISSON : 15 MIN

Pour la pâte à pizza

> 1/2 sachet de levure de boulanger
> 1/2 cuill. à café de sel fin
> 1/2 cuill. à café de sucre en poudre
> 15 cl d'eau tiède
> 250 g de farine
> 2 cuill. à soupe d'huile d'olive

Pour la garniture

> 125 g de fromage de chèvre frais
> 1 cuill. à soupe bombée de ricotta
> 2 cuill. à soupe d'huile d'olive
> 3 cuill. à soupe de miel liquide
> 3 cuill. à soupe de mélange de graines (sésame, pavot, pignons, lin)
> sel et poivre du moulin

1. Préparez la pâte à pizza. Dans un bol, rassemblez la levure, le sel, le sucre et l'eau tiède, puis mélangez bien le tout et laissez reposer 15 minutes. Tamisez la farine au-dessus d'un grand saladier et creusez un puits au centre, puis incorporez la préparation précédente. Brassez le tout avec soin jusqu'à obtention d'une pâte souple et homogène, puis ajoutez l'huile d'olive. Pétrissez la pâte de façon énergique pendant environ 10 minutes, recouvrez-la d'un torchon propre et laissez-la reposer pendant 1 heure.

2. Préchauffez le four à 210 °C (therm. 7). Dans un autre saladier, travaillez le fromage de chèvre à l'aide d'une cuillère, puis incorporez la ricotta et mélangez délicatement. Versez l'huile d'olive, salez, poivrez, mélangez de nouveau et réservez au frais.

3. Farinez le plan de travail, étalez la pâte à pizza à l'aide d'un rouleau à pâtisserie, puis découpez 12 disques de pâte de 5 cm de diamètre à l'emporte-pièce. Recouvrez une plaque de cuisson de papier sulfurisé et installez dessus les disques de pâte. Déposez au centre de chaque pizza un peu de préparation au fromage, puis arrosez de miel et parsemez de graines. Enfournez pour 15 minutes jusqu'à ce que les pizzas soient bien dorées. Servez chaud ou froid.

La recette de la quiche a l'avantage de se décliner à l'infini : à vous de varier les ingrédients selon les saisons et vos goûts. Poissons, fromage, charcuterie, ou petits légumes, vous aurez l'embarras du choix !

Mini-quiches aux herbes et à la feta

POUR 12 MINI-QUICHES

PRÉPARATION : 35 MIN

CUISSON : 30 MIN

> 1 pâte brisée prête à étaler
> 1/2 bouquet de ciboulette
> 1/2 bouquet d'aneth
> 1/2 bouquet de cerfeuil
> 50 g de feta
> 3 œufs
> 10 cl de lait
> 15 cl de crème fraîche liquide
> 1 cuill. à soupe de baies roses
> sel et poivre du moulin

1. Préchauffez le four à 180 °C (therm. 6). Beurrez 12 moules à tartelettes. Déroulez la pâte brisée, découpez 12 disques de 4 cm de diamètre à l'aide d'un emporte-pièce, puis déposez les fonds de tarte dans les moules. Piquez les fonds à l'aide d'une fourchette et réservez.

2. Ciselez les herbes, puis coupez la feta en petits dés de 1 cm de côté. Dans un saladier, fouettez les œufs avec le lait et la crème liquide. Salez et poivrez, puis incorporez les aromates. Placez 1 ou 2 cubes de feta sur chaque fond de tarte, puis recouvrez de la préparation aux œufs et enfournez pour 30 minutes, jusqu'à ce que les fonds de tarte soient bien dorés. Laissez tiédir avant de démouler, parsemez de baies roses et servez.

Vous pouvez adapter cette recette avec d'autres fromages à tartiner. Pensez aussi à des champignons tranchés très fins ou à des pousses d'épinards...

Pitas à la courgette et au gorgonzola

POUR 12 PARTS

PRÉPARATION : 15 MIN

CUISSON : 15 MIN

> 1 courgette
> 1/2 bouquet de basilic
> 6 pains pitas grecs
> 150 g de gorgonzola à la crème
> 3 cuill. à soupe d'huile d'olive

1. Lavez la courgette et coupez-la en tranches très fines. Rincez le basilic et ciselez-le. Fendez les pitas en deux. Tartinez légèrement chaque demi-pita de gorgonzola, disposez les courgettes sur un côté et parsemez de basilic.

2. Dans une poêle antiadhésive, faites chauffer 1 cuillerée à soupe d'huile d'olive, puis faites dorer 4 pitas à la courgette à feu doux, environ 2 minutes sur chaque face, en appuyant dessus avec le dos d'une écumoire. Renouvelez l'opération avec le reste d'huile et de pitas garnies.
Servez bien chaud.

Voici des mini-quiches simples et rapides à réaliser. N'hésitez pas à les préparer à l'avance : elles se conserveront très bien et vous pourrez ainsi profiter de vos convives !

Mini-quiches à la roquette et au fromage blanc

POUR 12 MINI-QUICHES

PRÉPARATION : 25 MIN

CUISSON : 40 MIN

- > 2 pâtes brisées prêtes à étaler
- > 80 g de roquette + quelques feuilles pour décorer
- > 1 bouquet d'oseille
- > 4 œufs
- > 6 cuill. à soupe de fromage blanc
- > 6 cuill. à soupe de lait
- > 1 cuill. à café de baies roses
- > sel et poivre du moulin

1. Préchauffez le four à 180 °C (therm. 6). Beurrez 12 moules à tartelettes. Déroulez les pâtes brisées, découpez 12 disques de 8 cm de diamètre à l'aide d'un emporte-pièce, puis déposez les fonds de tarte dans les moules. Piquez les fonds à l'aide d'une fourchette et réservez.

2. Lavez la roquette, hachez-la grossièrement ainsi que l'oseille. Dans un saladier, battez les œufs, ajoutez le fromage blanc et le lait, puis fouettez de nouveau. Salez et poivrez, puis incorporez délicatement la roquette et l'oseille. Garnissez les fonds de tarte de cette préparation et enfournez pour 40 minutes. Servez chaud ou froid, parsemé de feuilles de roquette et de baies roses.

Ces délicieuses petites pizzas peuvent être réalisées avec des oignons jaunes, pour une recette plus traditionnelle.

Pizzettas aux oignons et aux lardons

POUR 12 MINI-PIZZAS
PRÉPARATION : 20 MIN
CUISSON : 25 MIN

> 3 gros oignons rouges
> 300 g de lard fumé
> 3 cuill. à soupe d'huile d'olive
> 2 pâtes à pizza prêtes à étaler
> 60 g de crème fraîche
> 60 g de fromage blanc
> 6 brins de thym frais
> poivre du moulin

1. Préchauffez le four à 220 °C (therm. 7-8). Émincez les oignons, puis coupez le lard fumé en très petits lardons. Dans une poêle, faites chauffer l'huile d'olive et faites dorer les oignons pendant 10 minutes. Poivrez et ajoutez les lardons, puis prolongez la cuisson de 3 minutes.

2. Étalez les pâtes à pizza, découpez 12 disques de 8 cm de diamètre à l'aide d'un emporte-pièce et piquez-les à l'aide d'une fourchette.

3. Ciselez le thym. Dans un saladier, mélangez la crème fraîche, le fromage blanc et le thym. Étalez 1 cuillerée à soupe de ce mélange sur chaque disque de pâte, recouvrez de la préparation aux lardons, puis enfournez pour 15 minutes. Servez chaud.

Mini-quiches lorraines

POUR 12 MINI-QUICHES
PRÉPARATION : 15 MIN
CUISSON : DE 20 À 30 MIN

> 400 g de pâte brisée pur beurre faite maison ou prête à étaler
> 150 g de lardons
> 3 œufs
> 15 cl de lait
> 15 cl de crème fraîche
> 2 pincées de noix de muscade
> 125 g d'emmenthal ou de comté râpé
> sel et poivre du moulin

1. Préchauffez le four à 180 °C (therm. 6). Étalez la pâte brisée et découpez des disques assez grands pour garnir le fond et les côtés de 12 caissettes en papier pour muffins, puis disposez-les dans le fond de ces caissettes. Dans une poêle antiadhésive, faites légèrement dorer les lardons pendant environ 3 minutes, puis répartissez-les sur la pâte.

2. Dans un saladier, battez les œufs avec le lait et la crème fraîche, salez légèrement – les lardons sont déjà très salés –, poivrez et saupoudrez de noix de muscade. Versez cette préparation sur les lardons, recouvrez d'emmenthal ou de comté râpé, puis enfournez et faites cuire de 15 à 20 minutes dans le bas du four.

3. Vérifiez que le dessous des quiches est cuit avant de les sortir du four. Si ce n'est pas le cas, protégez le dessus d'une feuille d'aluminium et prolongez la cuisson de 5 à 10 minutes. Servez tiède.

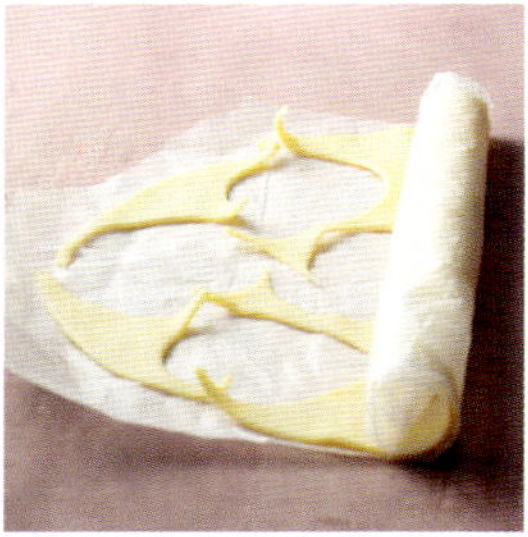

Mini-quiches aux poireaux et au roquefort

POUR 12 MINI-QUICHES
PRÉPARATION : 20 MIN
CUISSON : 30 MIN

- > 2 pâtes brisées prêtes à étaler
- > 4 poireaux
- > 200 g de lard fumé
- > 150 g de roquefort
- > 2 cuill. à soupe d'huile d'olive
- > 120 g de crème fraîche épaisse
- > sel et poivre du moulin

1. Préchauffez le four à 200 °C (therm. 6-7). Déroulez les pâtes brisées, découpez des disques de 8 cm de diamètre à l'aide d'un emporte-pièce, puis déposez les fonds de tarte dans 12 moules à tartelettes. Piquez les fonds à l'aide d'une fourchette, garnissez-les de papier sulfurisé et répartissez des haricots secs pour que les fonds restent plats, puis enfournez pour 10 minutes.

2. Lavez les poireaux et émincez-les finement. Coupez le lard fumé en lardons très fins, puis émiettez le roquefort. Dans une poêle, faites chauffer l'huile d'olive, puis faites revenir les poireaux, sans les laisser colorer. Baissez le feu et prolongez la cuisson de 10 minutes. Salez et poivrez, ajoutez les lardons et la crème fraîche, puis mélangez bien le tout. Incorporez le roquefort émietté, puis garnissez les fonds de tarte de la préparation et enfournez pour 10 minutes. Laissez tiédir avant de démouler et servez.

Mini-tatins pomme-boudin

POUR 12 TARTELETTES
PRÉPARATION : 30 MIN
CUISSON : 30 MIN

> 4 pommes golden
> 2 boudins noirs
> 3 cuill. à soupe de sucre en poudre
> 2 cuill. à soupe de vinaigre de cidre
> 300 g de pâte brisée faite maison ou prête à étaler

1. Préchauffez le four à 180 °C (therm. 6). Pelez les pommes, épépinez-les et coupez-les en dés de 2 cm de côté. Coupez les boudins en tranches de 5 mm d'épaisseur. Dans une petite casserole, faites fondre le sucre dans 3 cuillerées à soupe d'eau, portez à ébullition, puis réduisez le feu et laissez frémir jusqu'à obtention d'un liquide doré. Versez le vinaigre, portez de nouveau à ébullition, puis ajoutez les pommes et prolongez la cuisson de 3 minutes à feu doux, en remuant soigneusement.

2. Répartissez le mélange dans le fond de 12 moules à tartelette, puis déposez 3 tranches de boudin. Étalez la pâte brisée, découpez des disques de 10 cm de diamètre à l'aide d'un emporte-pièce, puis disposez-les sur le boudin, en ajustant bien les bords. Enfournez pour 15 minutes et démoulez dès la sortie du four. Servez chaud.

Ce délicieux apéritif libanais est peu connu. Vous pouvez aussi réaliser cette recette avec un reste de gigot ou du bœuf haché. Servez-le avec du yaourt grec relevé de menthe fraîche hachée.

Pitas à l'agneau

POUR 12 PARTS

PRÉPARATION : 10 MIN

CUISSON : 5 MIN

- > 1/2 bouquet de persil ou de coriandre ou de menthe
- > 1 gousse d'ail
- > 300 g d'agneau haché (ou de bœuf)
- > 20 g de pignons
- > 2 cuill. à café de ras el-hanout (mélanges d'épices)
- > 2 cuill. à soupe d'huile d'olive
- > 2 pains pitas libanais
- > sel et poivre du moulin

1. Lavez les herbes et ciselez-les. Épluchez l'ail et hachez-le. Dans un saladier, rassemblez la viande, les pignons, les herbes, le ras el-hanout et 1 cuillerée à soupe d'huile d'olive, salez, poivrez, puis mélangez soigneusement. Fendez les pitas en deux, puis garnissez chaque moitié de la préparation à la viande et repliez-les en deux.

2. Dans une poêle antiadhésive, faites chauffer le reste d'huile d'olive, puis faites dorer les pitas garnies à feu doux, environ 2 minutes sur chaque face, en appuyant dessus avec le dos d'une écumoire. Coupez-les en triangles et servez bien chaud.

Mini-pissaladières

POUR 24 MINI-PISSALADIÈRES

PRÉPARATION : 30 MIN

REPOS DE LA PÂTE : 1 H 30

CUISSON : 1 H

> 1 kg d'oignons
> 3 cuill. à soupe d'huile d'olive + 1 filet pour servir
> 30 filets d'anchois
> 4 branches de thym frais
> 100 g d'olives noires (de Nice, de préférence)
> poivre du moulin

Pour la pâte

> 1 sachet de levure de boulangerie
> 1 cuill. à café de sel
> 350 g de farine
> 3 cuill. à soupe d'huile d'olive

1. Préparez la pâte. Dans un bol, mélangez la levure et le sel dans 10 cl d'eau tiède, puis laissez reposer 15 minutes. Dans un saladier, mélangez la préparation avec la farine, incorporez l'huile d'olive et pétrissez longuement la pâte. Placez-la dans un saladier recouvert d'un torchon et laissez la pâte pousser pendant 1 heure 30. Pétrissez à nouveau la pâte, puis étalez-la sur une épaisseur de 5 mm environ. À l'aide d'une emporte pièce, découpez-la en disques de 5 ou 6 cm de diamètre, puis déposez ceux-ci sur une plaque allant au four recouverte de papier sulfurisé.

2. Préchauffez le four à 210 °C (therm. 7). Épluchez les oignons et émincez-les. Dans une poêle, faites chauffer l'huile d'olive, puis faites blondir les oignons et laissez-les confire pendant 30 minutes à feu doux. Ajouter 6 filets d'anchois dans la poêle et poursuivez la cuisson pendant 10 minutes, jusqu'à ce que les anchois aient fondu. Garnissez les disques de pâte de la préparation et disposez les filets d'anchois restants. Parsemez de quelques feuilles de thym frais et enfournez pour 15 minutes.

3. Sortez les pissaladières du four, décorez-les d'olives et arrosez d'un filet d'huile d'olive, puis servez.

Mini-quiches aux épinards et au saumon

POUR 12 MINI-QUICHES
PRÉPARATION : 20 MIN
CUISSON : 30 MIN

> 350 g de saumon frais
> le jus de 1 citron
> 100 g de pousses d'épinards
> 3 œufs
> 3 cuill. à soupe de crème fraîche
> 1 cuill. à soupe d'aneth ciselé
> 2 cuill. à café de noix de muscade en poudre
> 2 pâtes brisées prêtes à étaler
> sel et poivre du moulin

1. Préchauffez le four à 200 °C (therm. 6-7). Coupez le saumon en dés de 2 cm de côté. Dans une casserole, portez à ébullition 50 cl d'eau salée avec le jus de citron, puis éteignez le feu, plongez les dés de saumon et laissez-les cuire pendant 5 minutes. Égouttez-les et réservez. Dans une casserole, portez à ébullition 50 cl d'eau salée, puis plongez les pousses d'épinards. Égouttez-les, puis passez-les sous l'eau froide et réservez.

2. Dans un saladier, battez les œufs, ajoutez la crème fraîche, l'aneth ciselé, la noix de muscade et mélangez le tout. Salez et poivrez.

3. Déroulez les pâtes brisées, découpez des disques de 8 cm de diamètre à l'aide d'un emporte-pièce, puis déposez les fonds de tarte dans 12 moules à tartelettes. Piquez les fonds à l'aide d'une fourchette, garnissez-les de papier sulfurisé et répartissez des haricots secs, puis enfournez pour 10 minutes.

4. Ôtez les haricots et garnissez les fonds de tarte de la préparation aux œufs, puis répartissez les dés de saumon et les épinards. Enfournez pour 10 minutes. Servez chaud.

Tartelettes au haddock et aux pistaches

POUR 12 TARTELETTES
PRÉPARATION : 20 MIN
CUISSON : 45 MIN

> 2 pâtes brisées prêtes à étaler
> 1 grosse courgette
> 40 cl de lait
> 150 g de haddock
> 1 cuill. à soupe d'huile d'olive
> 10 cl de crème fraîche liquide

Pour la pâte à crumble

> 25 g de beurre demi-sel
> 50 g de farine
> 20 g de parmesan râpé
> 30 g de pistaches non salées, concassées
> sel et poivre du moulin

1. Préchauffez le four à 180 °C (therm. 6). Beurrez 12 moules à tartelettes. Déroulez la pâte brisée, découpez 12 disques de 6 cm de diamètre à l'aide d'un emporte-pièce, puis déposez les fonds de tarte dans les moules. Piquez les fonds à l'aide d'une fourchette, garnissez-les de papier sulfurisé et répartissez des haricots secs pour que les fonds restent plats, puis enfournez pour 10 minutes.

2. Coupez la courgette en dés de 1 cm de côté. Dans une casserole, portez le lait à ébullition. Plongez-y le haddock pendant 15 minutes, puis égouttez-le et détaillez-le en pétales. Dans une poêle, faites chauffer l'huile d'olive et faites revenir les dés de courgette.

3. Préparez la pâte à crumble. Coupez le beurre en morceaux. Dans un saladier, réunissez tous les ingrédients, salez, poivrez, puis travaillez le tout avec les doigts jusqu'à obtention d'un mélange sableux.

4. Retirez les haricots secs. Répartissez les pétales de haddock et les dés de courgette sur les fonds de tartes, puis versez la crème fraîche. Recouvrez de pâte à crumble et enfournez à nouveau pour 15 minutes. Servez tiède.

Les pétoncles sont plus petites que les coquilles Saint-Jacques mais tout aussi savoureuses.

Pizzettas aux pétoncles

POUR 12 MINI-PIZZAS

PRÉPARATION : 25 MIN

CUISSON : 15 MIN

> 2 pâtes à pizza prêtes à étaler

> 100 g de tomates cerises

> 10 oignons grelots

> 2 cuill. à soupe d'huile d'olive

> 250 g de pétoncles

1. Sortez la pâte à pizza du réfrigérateur et laissez-la tiédir 15 minutes à température ambiante. Préchauffez le four à 180 °C (therm. 6). Coupez les tomates cerises en quartiers et émincez les oignons. Dans une poêle, faites chauffer l'huile d'olive, puis faites revenir les oignons.

2. Déroulez les pâtes à pizza et découpez des disques de 10 cm de diamètre avec un emporte-pièce. Découpez les pétoncles en morceaux, puis disposez-les sur les mini-pizzas. Ajoutez les quartiers de tomate et les oignons. Arrosez d'un filet d'huile d'olive et enfournez pour 10 minutes. Servez tiède.

Tourtes aux fruits de mer

POUR 12 MINI-TOURTES
PRÉPARATION : 20 MIN
CUISSON : 35 MIN

> 1 cube de bouillon de poisson
> 400 g de mélange de fruits de mer surgelés
> 30 g de beurre
> 2 cuill. à soupe de farine
> 1 dosette de safran
> 15 cl de crème fraîche liquide
> 3 pâtes feuilletées pur beurre prêtes à étaler
> 1 jaune d'œuf
> poivre du moulin

1. Préchauffez le four à 200 °C (therm. 6-7). Dans une casserole, portez 25 cl d'eau à ébullition, puis diluez le cube de bouillon de poisson. Dans une sauteuse, faites revenir les fruits de mer avec le beurre jusqu'à ce qu'ils ne rendent plus d'eau. Saupoudrez-les de farine, mélangez bien, puis incorporez progressivement le bouillon de poisson en laissant la sauce épaissir à feu doux pendant environ 5 minutes. Ajoutez le safran et la crème liquide, laissez réduire pendant 3 minutes, poivrez, puis laissez refroidir.

2. Déroulez les pâtes feuilletées, puis découpez des disques assez grands pour garnir le fond et les côtés de moules à muffins ainsi que 12 disques pour les « chapeaux ». Disposez les grands disques dans le fond des caissettes et emplissez-les aux deux tiers de fruits de mer. Mouillez le bord de la pâte à l'aide d'un pinceau, puis disposez les chapeaux en pinçant les bords avec les doigts. Badigeonnez le dessus des tourtes du jaune d'œuf dilué dans un peu d'eau. Faites une petite entaille sur le dessus du couvercle et enfournez les tourtes dans le bas du four pour 20 minutes. Servez chaud.

Pour changer de la traditionnelle quiche lorraine, en voici une version revisitée et raffinée, à picorer du bout des doigts.

Mini-quiches à l'artichaut et au crabe

POUR 12 MINI-QUICHES
PRÉPARATION : 20 MIN
CUISSON : 30 À 35 MIN

- > 2 pâtes brisées prêtes à étaler
- > 2 fonds d'artichaut ou des cœurs d'artichaut à l'huile
- > 1 oignon
- > 2 cuill. à soupe d'huile d'olive
- > 100 g de chair de crabe en conserve
- > 10 cl de lait
- > 10 cl de crème fraîche
- > 100 g de gruyère râpé
- > sel et poivre du moulin

1. Préchauffez le four à 180 °C (therm. 6). Déroulez les pâtes brisées et découpez des disques de 10 cm de diamètre à l'aide d'un emporte-pièce. Coupez les fonds d'artichaut en dés de 2 cm de côté et hachez l'oignon. Dans une poêle, faites chauffer l'huile d'olive, puis faites revenir l'oignon et l'artichaut. Salez et poivrez. Prolongez la cuisson de 5 minutes, ôtez du feu et laissez refroidir.

2. Égouttez le crabe. Dans un saladier, mélangez le lait et la crème fraîche. Salez et poivrez, puis incorporez délicatement l'artichaut, l'oignon, le crabe et le gruyère râpé.

3. Déposez les fonds de tarte dans 12 moules à tartelettes. Garnissez-les de la préparation à l'artichaut, puis enfournez et faites cuire de 15 à 20 minutes. Servez tiède.

Changez le goût de la quiche en lui apportant une touche d'exotisme !

Mini-quiches thaïes aux crevettes

POUR 12 MINI-QUICHES
PRÉPARATION : 25 MIN
CUISSON : DE 20 À 25 MIN

> 1 pâte brisée prête à étaler
> 6 mini-épis de maïs
> 1 tige de citronnelle (au rayon frais exotique ou dans les épiceries asiatiques)
> 1 cuill. à soupe d'huile d'olive
> 1 cuill. à café de pâte de curry jaune
> 1/2 bouquet de basilic thaï (dans les épiceries asiatiques)
> 20 cl de lait de coco
> 2 œufs
> 12 crevettes décortiquées
> 1 petit bouquet de basilic
> sel et poivre du moulin

1. Préchauffez le four à 180 °C (therm. 6). Beurrez et farinez 12 moules à tartelettes. Déroulez la pâte brisée, découpez des disques de 6 cm de diamètre à l'aide d'un emporte-pièce et déposez les fonds de tarte dans les moules. Piquez les fonds à l'aide d'une fourchette.

2. Coupez les épis de maïs en petits morceaux et émincez la citronnelle. Dans une poêle, faites chauffez l'huile d'olive, puis faites dorer la citronnelle pendant 2 minutes. Ajoutez la pâte de curry jaune, le basilic thaï et la moitié du lait de coco, puis mélangez bien le tout et prolongez la cuisson de 2 minutes. Battez les œufs avec le reste du lait de coco, puis incorporez-les à la préparation précédente. Assaisonnez de sel et de poivre, puis mélangez bien le tout.

3. Garnissez les fonds de tarte des épis de maïs, versez la préparation aux œufs et déposez une crevette sur le dessus, puis enfournez et faites cuire de 15 à 20 minutes. Démoulez, parsemez de basilic et servez.

Direction éditoriale : Véronique de Finance-Cordonnier
Édition : Marion Pipart
Direction artistique : Emmanuel Chaspoul
Réalisation : Belle Page, Boulogne
Couverture : Véronique Laporte
Fabrication : Annie Botrel

Crédits photographiques : p. 32, 33, 38, 39, 42-45, 52, 53, 55 : Fabrice Besse © coll. Larousse (Stylisme : Noëmie André) ; p. 4, 5, 26, 27, 36, 37, 40, 41, 49 : Caroline Faccioli © coll. Larousse (Stylisme : Sabine Paris) ; p. 14, 15, 18, 19, 22, 23, 29-31, 35, 47, 51 : Marie-José Jarry © coll. Larousse (Stylisme : Bérengère Abraham) ; p. 10, 11, 16, 17, 21, 57 : Massimo Pessina © coll. Larousse (Stylisme : Rosalba de Magistris) ; p. 6, 7, 9, 12, 13, 25, 59 : Amélie Roche © coll. Larousse (Stylisme : Manuella Chantepie).

L'éditeur remercie pour le prêt de linge et d'objets : ASA (www.asa-selection.com), Coming B (wwwcomingb.fr), Fleux, 39 et 52 rue sainte Croix de la Bretonnerie 75004 Paris (01 42 78 27 20), Léonardo (www.leonardo.de), Montgolfier (wwwmontgolfier.fr), Linge au Cœur (www.lingeaucoeur.com), Ressources (www.ressources-peinture.com), Emery (www.emeryetcie.com), Villa Paris (01 42 74 07 05), La Cabane de l'Ourse (www.lacabanedelourse.com), La Forge Subtile, 11 rue de l'odéon 75006 Paris (01 40 51 09 30), Mis en Demeure (www.misendemeure.com), La Maison des Rêves (www.maisondesreves.com), La Compagnie Française d'Orient et de Chine (www.cfoc.fr), Jeannine Cros (01 45 48 00 67), Clotilde Buschini (01 45 44 30 11), Caravane (www.caravane.fr), Wooden (www.woodenlist.com) et Mme Mylène Demongeot pour le prêt de la brocante (www.mylene-demongeot.fr).
Et l'éditeur remercie tout particulièrement Véronique Jean pour sa participation efficace.

ISBN : 301-0-00-000278-9

Photogravure Turquoise, Émerainville
Imprimé en Chine par Leo Paper Products
Dépôt légal : septembre 2010
304 606/01-11011870-avril 2010